REGARD JUNIOR
Un voyage dans le temps et l'Histoire

Rome

Textes de Antoine Auger
et Dimitri Casali

Illustrations de
Sylvia Bataille

Collection dirigée par
Dominique Gaussen

MANGO *JEUNESSE*

dans la même collection :

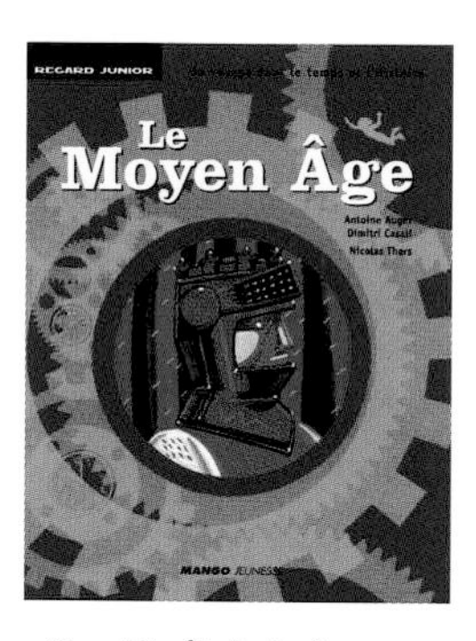

- **La Préhistoire**
- **Le Moyen Âge**
- **Le siècle de Louis XIV**

REGARD JUNIOR
Un voyage dans le temps et l'Histoire

Direction artistique :
Marion de Rouvray

Conception graphique :
Pépito Lopez
Sylvia Pouradier

Assistance éditoriale :
Florence Pierron

Imprimé par PPO Graphic,
93500 Pantin

Dépôt légal : septembre 2001
I.S.B.N : 2-7404-1181-2
Loi n°49.956 du 16 juillet 1949
sur les publications
destinées à la jeunesse

Sommaire

4 **Le film de l'Histoire**

6 **Quelques histoires renversantes de la naissance de Rome**

8 **Une tortue inspire la légion romaine**

10 **L'armée romaine invincible pendant près de mille ans**

12 **La roue de la fortune t'a-t-elle fait naître, chevalier, esclave, patricien ou plébéien ?**

14 **Le cursus honorum**

16 **Pourquoi César est-il une star ?**

18 **Beaucoup de Gaulois divisés ne valent pas des Romains unis**

20 **Gloire aux bons empereurs !**

22 **Honte à ces empereurs !**

24 **Des milliers de dieux venus d'ailleurs**

26 **La pax romana, la paix romaine**

28 **Les villes romaines sont toutes pareilles**

30 **Rome éternelle, suivez le guide !**

32 **Mon premier bain**

34 **À table ! La tête de perroquet est prête !**

36 **Entrez, entrez, nos spectacles sont gratuits. À vous de choisir !**

38 **Les stars de l'Histoire**

40 **Tout commence mal pour les chrétiens... Mais tout finit bien !**

42 **Trois solutions pour sauver l'empire**

44 **Les barbares poussent, Rome disparaît**

46 **Nous sommes tous des Romains**

Le film de l'Histoire

753 avant J.-C.

Fondation de Rome

Les historiens pensent aujourd'hui que Rome serait bien née au VIIIe siècle avant J.-C., mais qu'elle ne serait devenue une véritable cité que deux siècles plus tard grâce aux rois étrusques. Progressivement, les bergers des collines de Rome se seraient regroupés sur les bords du Tibre et sur une partie du Palatin.

395-272 avant J.-C.

Rome à la conquête de l'Italie

En 395 avant J.-C., les Romains s'emparent de Veies, la grande ville étrusque. Puis, c'est au tour des Samnites, et des Grecs de l'Italie du Sud, de tomber sous le joug romain. En 272 avant J.-C. la conquête de l'Italie est achevée.

27 avant J.-C.

Auguste devient le premier empereur

Le neveu de César, Octave, devient, sous le nom d'Auguste, le premier empereur romain. Le Sénat lui attribue le titre d'Auguste qui marque la naissance de l'empire romain.

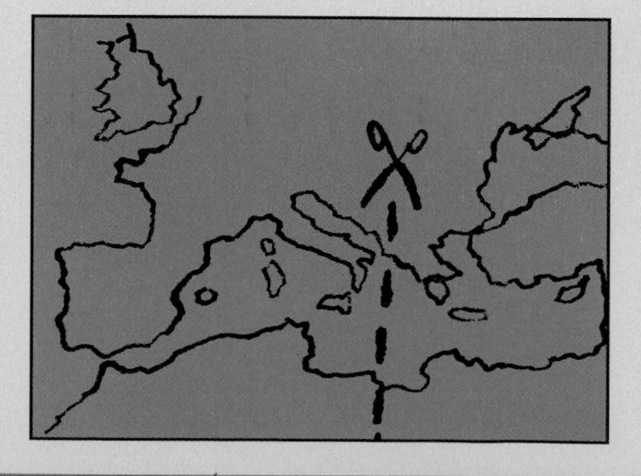

395 après J.-C.

Partage définitif de l'empire en deux parties

C'est pour faciliter la défense des frontières que l'empereur Théodose décide en 395 de partager l'empire entre ses deux fils. Arcadius reçoit ainsi l'empire romain d'Orient pendant qu'Honorius devient empereur romain d'Occident.

509 avant J.-C.

Rome devient une république

Le roi étrusque Tarquin le Superbe, cruel et tyrannique, est renversé et s'enfuit de Rome. Une nouvelle forme de gouvernement, la république, est aussitôt instaurée.

264-146 avant J.-C.

Les Guerres puniques

Elles opposent Rome à Carthage pour le contrôle de la Méditerranée. Première guerre : victoire de Rome. Deuxième guerre : Hannibal, le général carthaginois, franchit les Alpes et bat les Romains qui prennent leur revanche quelques années plus tard. Troisième manche : Carthage est prise et rasée en 146 avant J.-C.

232 après J.-C.

L'empire doit se battre sur deux fronts : en Germanie et en Perse

En 232, l'empereur Sévère Alexandre est attaqué sur deux fronts séparés de plusieurs milliers de kilomètres. L'empire sombre alors dans une crise de cinquante années.

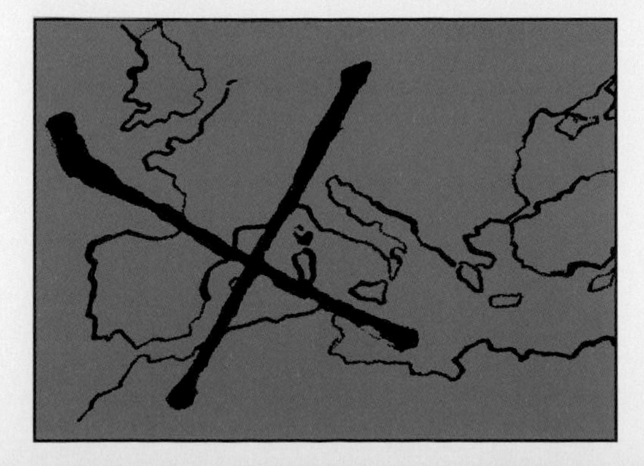

476 après J.-C.

Disparition de l'empire romain d'Occident

Odoacre, un chef barbare, parvient à renverser le jeune empereur Romulus Augustule. Il met fin à l'empire romain d'Occident. Seul demeure l'empereur romain d'Orient, qui devient l'héritier de l'empire romain.

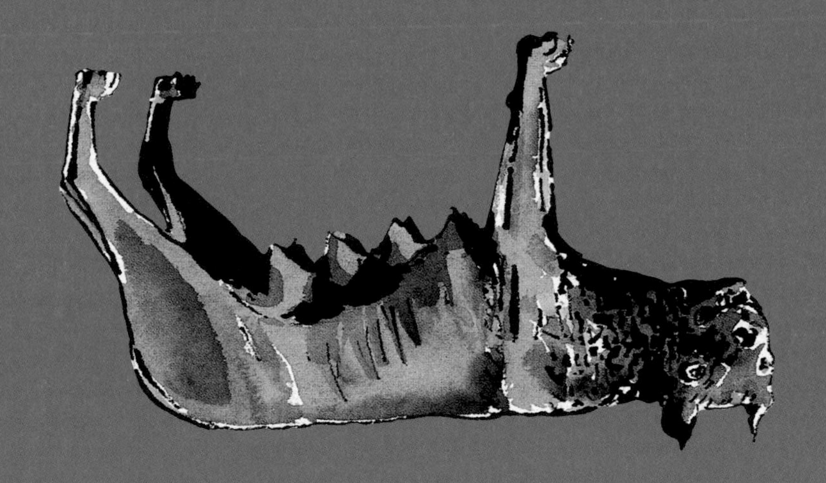

Quelques histoires renversantes de la naissance de Rome

Comment Rome est-elle née ?
Les historiens ne le savent pas vraiment. Voici ce que dit la légende.

753 avant J.-C.

Les fils de la louve

Deux bébés sont abandonnés dans un berceau au milieu du Tibre : Romulus et Rémus, enfants jumeaux du dieu de la guerre, Mars. Emporté par le courant, le berceau échoue au pied d'une colline, le Palatin, à l'endroit même où une louve est en train de boire. Elle s'approche des deux enfants et les emporte dans sa tanière. Pour les dévorer ? Non, elle les allaitera comme ses propres petits, avant qu'un couple de bergers ne les recueille et les élève.

753-717 avant J.-C.

Voir douze vautours, c'est mieux que d'en voir six !

Devenus grands, Romulus et Rémus décident de bâtir une ville à l'endroit où ils ont été recueillis par la louve. Qui, de Romulus ou de Rémus, deviendra le fondateur ? L'âge ne pouvant départager les deux frères, c'est donc aux dieux de décider. Les deux frères prennent alors les auspices. Les auspices sont des signes du destin. Les jumeaux scrutent le vol des oiseaux pour distinguer un signe favorable. Rémus, le premier, voit six vautours, Romulus en voit douze. C'est décidé, Romulus sera le fondateur.
Il trace alors le plan de la future ville dans le sol avec une charrue. Mais son frère, vexé, franchit le sillon qu'il a tracé. Romulus s'écrie alors : « Que périsse quiconque franchit ce sillon ! » Les jumeaux commencent à se battre. Rémus, frappé à mort, s'effondre. Rome est fondée dans le sang !

Une tortue inspire la légion romaine

Tu connais la tortue, le petit animal à carapace. Mais regarde, c'est aussi une technique de combat qui vaut aux Romains bon nombre de leurs victoires. Pour donner l'assaut ou se protéger, les soldats forment, en réunissant leurs boucliers, une véritable carapace blindée.

Fait marquant

La légion est l'instrument principal de la conquête.

Personne n'est à l'abri du tir des Romains

La baliste, sorte d'arbalète, projette des javelots lourds munis de pointes de métal à 400 m.

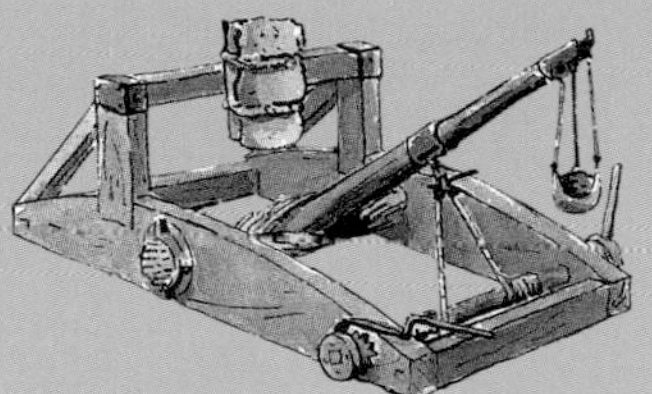

Les onagres à tir courbe, ou scorpions, envoient de lourdes pierres.

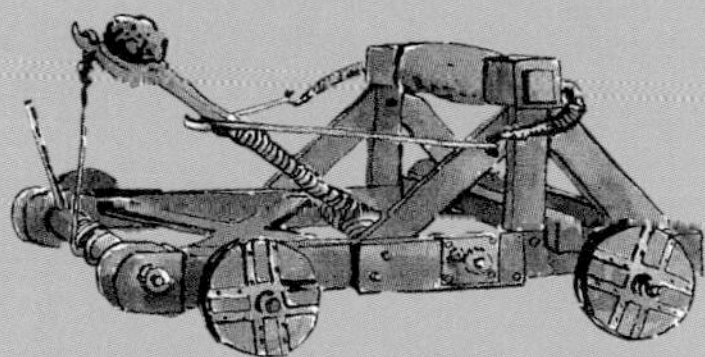

Les catapultes à tir tendu envoient de gros projectiles de plus de 100 kg.

Le bélier (*aries*), porté par des soldats, ouvre une brèche dans un mur.
Certains font plus de 60 m de long et peuvent être actionnés par deux cents hommes !

Les tours mobiles sont indispensables pour assiéger les murailles d'une ville.

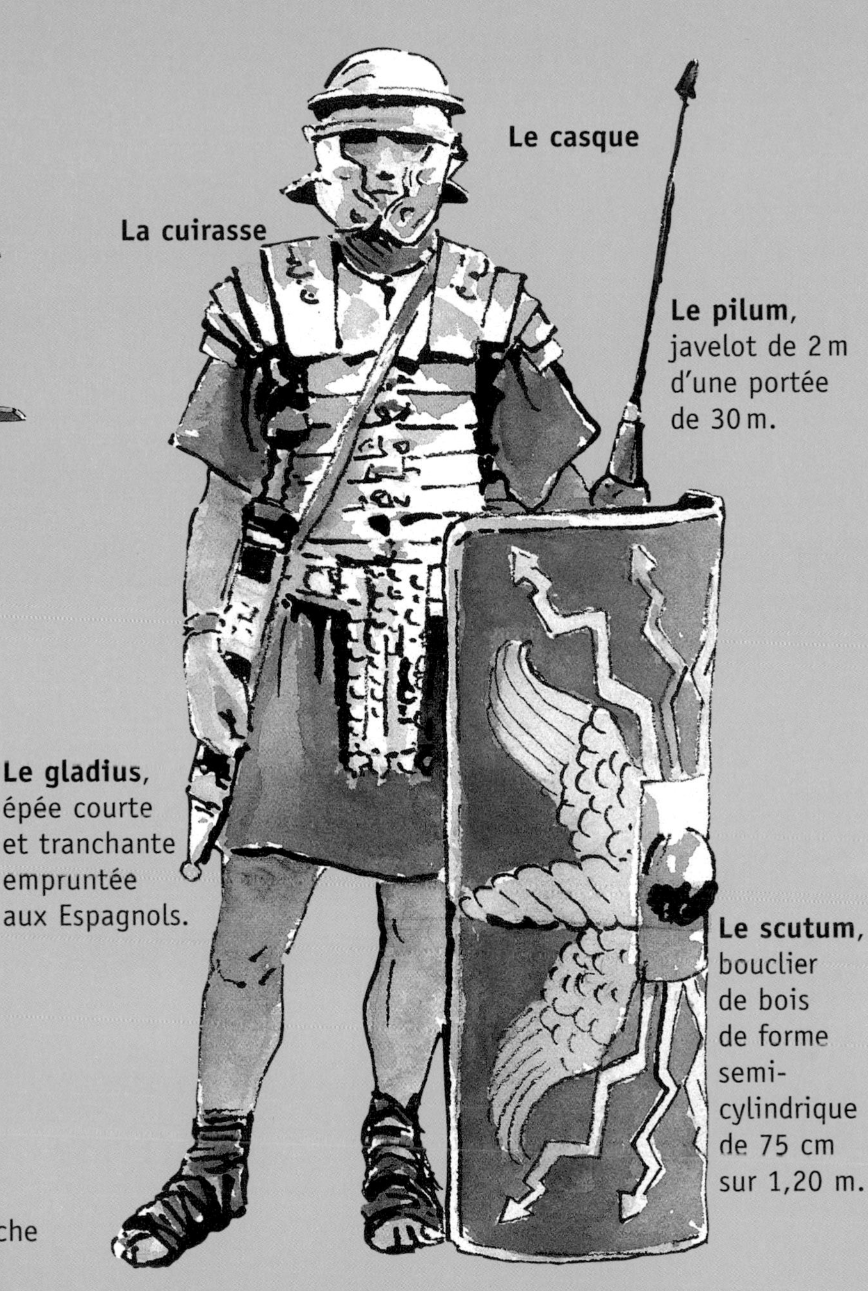

Le pilum, javelot de 2 m d'une portée de 30 m.

Le gladius, épée courte et tranchante empruntée aux Espagnols.

Le scutum, bouclier de bois de forme semi-cylindrique de 75 cm sur 1,20 m.

La panoplie du parfait légionnaire

L'ordre et la discipline sont extrêmes.
Durée du service : vingt ans ! L'entraînement est particulièrement pénible, manœuvres militaires, 30 km de marche trois fois par mois avec sur le dos 40 kg d'équipement. De nombreux exercices physiques : maniement des armes, mais aussi construction des routes. À la moindre faute, des châtiments corporels.

L'armée romaine

Grâce à ses armées, Rome s'est bâti un empire vaste et durable. Toutefois, Auguste tient cet immense territoire avec seulement trois cent mille hommes. Quel est le secret d'une telle réussite ?

Pourquoi l'armée romaine est-elle si puissante ?

Alors que les adversaires de Rome utilisent surtout des mercenaires, l'armée romaine est composée de citoyens. La base de l'armée romaine, c'est la légion. Pour être légionnaire, il faut être citoyen romain. Le sens de la discipline et l'origine paysanne du légionnaire romain en font un soldat courageux et endurant, la supériorité du commandement fait le reste.

En campagne

L'armée doit chaque soir construire un camp avec une palissade et un fossé. Avant de quitter le camp, il faut le démonter.

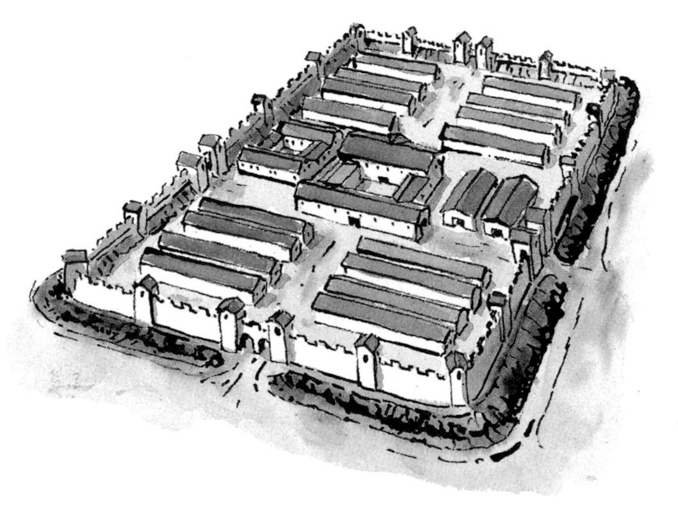

invincible pendant près de mille ans

Des officiers remarquables

Chaque centurie est commandée par un centurion qui est l'âme de la légion. Il vit avec les légionnaires et partage leurs souffrances. Juste au-dessus, les tribuns, jeunes officiers d'origine noble, dirigent une cohorte. Puis, le préfet de camp, deuxième personnage de la légion, organise toute la vie du camp. Enfin, le légat de légion commande la légion et représente l'empereur.

La légion est très organisée

Une centurie
= 100 hommes.

Une cohorte
= 600 hommes.

Une cavalerie
= 120 cavaliers.

On peut y ajouter les corps auxiliaires recrutés chez les peuples alliés de Rome.

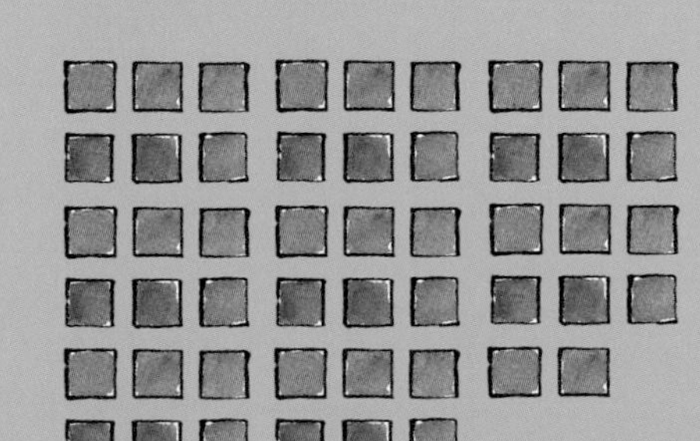

Une légion
= environ 5 000 hommes.

La roue de la fortune t'a-t-elle fait naître chevalier, esclave, patricien

Jouons à un petit jeu. Imagine que tu fasses tourner cette roue. Elle te fait naître soit patricien, soit plébéien, soit esclave.

Tu es né chevalier

Tu serais plutôt un homme d'affaires, un banquier. C'est la classe montante.

Tu es né plébéien

Tu fais partie des gens du peuple. Homme libre, tu es artisan, commerçant ou petit propriétaire rural. Tu participes aux guerres en tant que simple soldat.

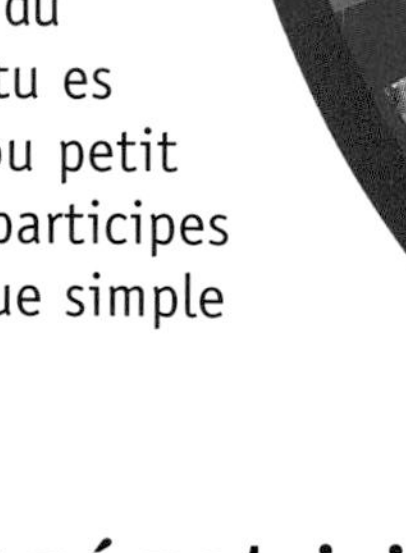

Tu es né patricien

Tu fais partie des plus riches. Tu descends des premières familles installées à Rome. Tu es membre de l'ordre sénatorial. Tu possèdes de grands domaines fonciers.

ou plébéien ?

Tu es né esclave

Du temps des Romains, s'il n'y a pas de machine, il y a des esclaves qui permettent aux gens de ne pas travailler. Tu n'as aucun droit, même pas celui de te marier. Tu appartiens à ton maître qui a tout pouvoir sur toi. Comme les autres, tu es un ancien prisonnier de guerre ou un barbare acheté sur les marchés d'Orient. La plupart des Romains possèdent un esclave, les plus riches jusqu'à quatre mille, exploités sur un seul domaine. Tu dois faire les travaux ménagers et les travaux des champs. Si tu te sauves et que tu es rattrapé, tu es sévèrement châtié, on t'imprime sur le front un « F » au fer rouge signifiant *fugitivus* (fugitif). En général, tu es bien traité. Après vingt ans de loyaux services, tu seras affranchi par ton maître. Tu prendras alors le nom et le prénom de ton ancien maître et qui sait ? Tu pourras même jouer un rôle politique.

Fait marquant
Les esclaves permettent à une partie de la société romaine de ne pas travailler.

La journée d'un romain

Le matin

5 h - Lever. Ça va vite, car tu as gardé tes vêtements de dessous pour dormir. Toilette des bras et des jambes. *Jentaculum* (petit déjeuner) de pain, de fromage et de fruits.

8 h - Si tu es riche, tu passes en revue les clients qui attendent depuis l'aube leur panier-repas distribué chaque jour. Ce sont des Romains attachés à ta famille à laquelle ils rendent divers services. En échange, ils reçoivent la *sportula*, un panier-repas. Penser à régler les affaires sur le Forum. Rendez-vous chez le *tonsor* (coiffeur) pour une coupe de cheveux ou une barbe, sans mousse à raser.

Le midi

12 h - Collation : viande froide, fruits et coupe de vin.

13 h - Sieste.

L'après-midi

14 h - Se montrer aux bains publics, l'endroit à la mode.

14 h 30 - 15 h - Réception des amis pour le repas (*cena*). Quand tu ne vas pas aux bains, tu vas faire un tour au thermopole le plus proche, équivalent de notre café actuel, pour boire une coupe de vin parfumé d'herbes et de résine de pin (servi chaud en hiver).

Le soir

Vers 20 heures - Après un long repas bien arrosé de vin coupé d'eau, coucher (car il faut économiser l'éclairage).

Le cursus honorum

509-27 avant J.-C.

Jusqu'aux premiers empereurs, les institutions de Rome reposent sur le Sénat, véritable centre du gouvernement.

Toutes les décisions importantes sont en effet prises au nom du Sénat et du peuple romain, d'où la devise SPQR, *Senatus Populus Que Romanus* (*Le Sénat et le peuple romain*). Mais attention ! La course aux magistratures est longue et semée d'embûches. Si tu veux réussir dans la politique, voici les marches qu'il te faudra gravir.

Un million de sesterces pour être magistrat

1

Dix ans de service militaire

2

Dix ans de service militaire sont nécessaires pour postuler.

Vingt-huit ans minimum

3

Le premier échelon est le rang de questeur. Il faut avoir au minimum vingt-huit ans. Ils sont quarante sous Auguste et sont chargés des finances et du trésor public.

Trente et un ans minimum

4

Le deuxième échelon est celui d'édile. Il faut avoir trente et un ans. L'édile s'occupe de l'entretien des monuments, de la police, de la voirie, des jeux publics.

Pas si simple d'arriver en haut !

Réservé aux plébéiens

5

Le tribunat de la plèbe constitue un échelon intermédiaire réservé aux plébéiens. Tu t'occupes des intérêts du peuple.

À toi de rendre la justice

6

Le troisième échelon est celui de préteur. C'est à toi de rendre la justice. Après cela, tu peux être nommé propréteur (gouverneur) dans une province.

Zone réservée = Rome *intra muros*

7

Enfin, au sommet, deux consuls. Chacun peut ainsi contrôler l'autre. Tu exécutes les lois, tu lèves et commandes les armées. Mais ce pouvoir s'arrête à l'intérieur des murs de Rome. Après cette magistrature, tu peux être nommé proconsul (gouverneur) pendant un an dans une riche province.

Six mois maximum

8

Pour les circonstances exceptionnelles, le Sénat peut désigner, parmi les anciens consuls, un dictateur, muni des pleins pouvoirs, mais pour une durée de six mois seulement.

 **Fait marquant**

Tous les magistrats sortis de charge deviennent sénateurs, ils sont six cents sous Auguste à siéger sur les marches de la curie au Sénat. Sous Vespasien, de nombreux Italiens et provinciaux entrent au Sénat. Se forme ainsi une nouvelle noblesse d'origine provinciale.

Pourquoi César est-il une super star ?

101-44 avant J.-C.

Regard Junior : Ave Caesar ! On dit que tu descends de la déesse Vénus. Info ou intox ?

Jules César : Parfaitement, César est un arrière, arrière, arrière... bref, un descendant direct de Iule, le petit-fils de la déesse Vénus.

RJ : Mais pourquoi parles-tu toujours à la troisième personne du singulier ?

Jules César : Parce qu'il est formidable, non ?

RJ : Ton look, tu l'as beaucoup travaillé ? C'est pour la politique ou pour les femmes ?

Jules César : Pour les deux. Quand il a commencé sa carrière en 69 comme questeur, tout le monde plaisantait sur son crâne chauve. Aussi, le divin Jules a trouvé la ruse de ramener ses cheveux trop rares en avant et de ne jamais quitter sa couronne de laurier.

RJ : Parlons-en de cette couronne, un symbole militaire. Comment l'as-tu gagnée ?

Jules César : César avoue s'être couvert de gloire lors de la conquête des Gaules quand, à la tête de neuf légions seulement, il a anéanti les armées des soixante tribus gauloises. Il a même écrit ses exploits dans un véritable best-seller, *La Guerre des Gaules*.

RJ : Tu as formé un groupe appelé le « Triumvirat » avec deux copains généraux, eux aussi. C'est pour être encore plus célèbre et plus puissant ?

Jules César : Ah oui... Tu parles de Crassus et Pompée, ces deux bouffons ! Alors que Pompée était consul unique à Rome, il a voulu empêcher César de franchir le Rubicon.

RJ : Le Rubiquoi ?

Jules César : Le Rubicon, la rivière qui sert de frontière entre la Gaule cisalpine et l'Italie. Les légions n'ont pas le droit de la traverser en armes. C'est à cette occasion que le divin César a prononcé cette célèbre expression : *Alea jacta est* signifiant : « Les dés sont jetés ».

RJ : Certains t'accusent de vouloir devenir un « odieux roi » et de mettre fin à la République.

Jules César : Tu as vu la taille de l'empire romain. Ce n'est pas un petit roi qu'il faut, c'est un grand et vrai chef militaire qui a tous les pouvoirs pour gouverner cet immense empire.

Ndlr : Le lendemain, 15 mars 44 avant J.-C., Jules César est assassiné au Sénat, percé de vingt-trois coups de poignard, par un complot républicain.

Fait marquant

Avant César, Rome était une cité. À sa mort, c'est un état méditerranéen.

Beaucoup de Gaulois divisés...

ne valent pas des Romains unis

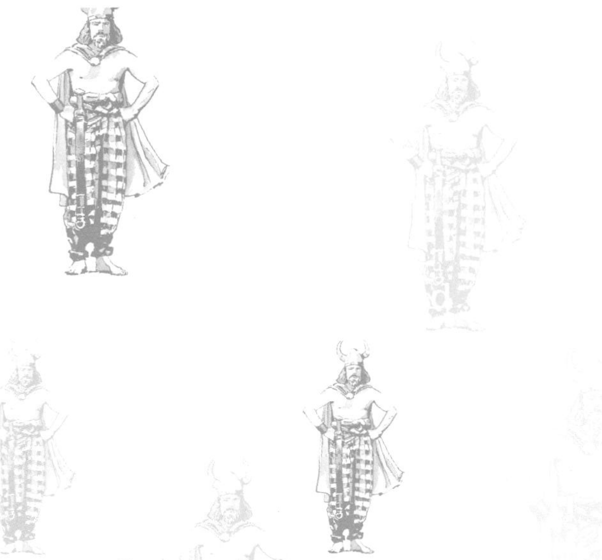

Le puzzle gaulois

Arvernes, Vénètes, Belges, la Gaule est peuplée d'une soixantaine de peuples divisés qui n'hésitent pas à se livrer continuellement des batailles. Pour arranger les choses, la Gaule est coupée en deux : la Narbonnaise, déjà une province romaine, et la Gaule dite « chevelue » (car couverte de forêts), qui est indépendante.

Lorsque César est nommé gouverneur de la Narbonnaise, le seul territoire de la Gaule conquis par les Romains, il espère envahir le pays tout entier. Comment ? En profitant des divisions gauloises.

Vercingétorix tente d'unifier les peuples gaulois

Vercingétorix, un valeureux chef arverne, veut réunir tous les Gaulois contre César. Il appelle ainsi ses compatriotes à prendre les armes contre l'envahisseur. Il est proclamé roi et commandant suprême des armées.

Le piège d'Alésia

Après une première victoire à Gergovie, les affaires tournent mal pour Vercingétorix. En 52 avant J.-C., le piège de César se referme. Installés dans la ville d'Alésia, les Gaulois sont encerclés par les légions. Le plan de César est simple : affamer les Gaulois. Pour cela, il fait creuser autour de la ville deux fossés garnis de pointes. Impossible de sortir ! Vercingétorix, se sentant perdu, convoque l'assemblée des chefs gaulois et jette ses armes aux pieds de César. Emmené à Rome, il est présenté comme trophée pour le triomphe du vainqueur et étranglé la nuit même.

Fait marquant

En 50 avant J.-C., les légions romaines réussissent par la force à unifier la Gaule, qui devient une des plus riches provinces romaines.

Gloire aux bons

« Puisses-tu être plus heureux qu'Auguste et meilleur que Trajan ! »

Auguste

-27 à 14 après J.-C.

Après l'assassinat de Jules César, son fils adoptif, Octave, devient, sous le nom d'Auguste, le premier empereur romain. Octave, resté seul maître, fonde en 27 avant J.-C. un nouveau type de gouvernement : l'empire. Il se fait octroyer par le Sénat des titres et des magistratures qui lui donnent un pouvoir presque absolu. Il reçoit ainsi le prénom d'Imperator* et le titre d'Auguste. Il invente une formule de gouvernement qui semble partager l'autorité entre le prince et le Sénat.

* Imperator : général victorieux, il reçoit ce titre de ses soldats et obtient la cérémonie du triomphe. Octave, qui a reçu le surnom d'Auguste, l'utilise comme un prénom.

161-180 après J.-C.

Marc Aurèle : l'empereur philosophe

Marc Aurèle met en pratique une morale humaniste pendant toute sa vie. Il rédige un livre, *Les Pensées*, dont voici un extrait : « Ce que tu as entrepris, il faut le faire avec force et assurance, tu dois accomplir chacun de tes actes comme s'il était le dernier... ». Il passe la fin de sa vie à empêcher les barbares de franchir le Danube.

empereurs !

98-117 après J.-C.

Trajan : « le meilleur des princes »

Premier empereur d'origine provinciale, ce soldat expérimenté mène durant son règne plusieurs campagnes contre les barbares. Bon administrateur, il édifie à Rome de nombreux monuments. Cet empereur autoritaire ne manque pas de cœur : il crée en effet des soupes populaires, appelées *alimenta*, destinées aux Romains les plus pauvres.

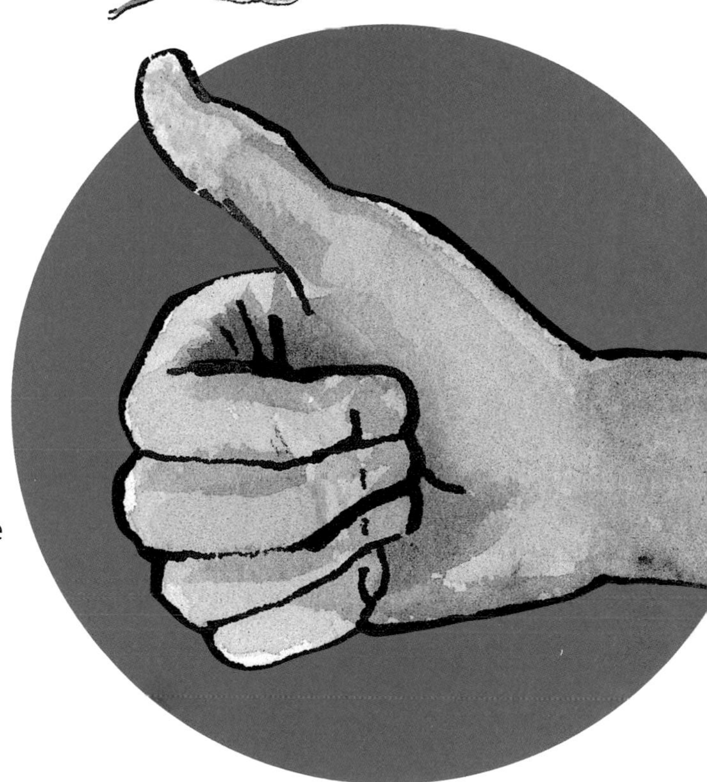

Fait marquant

Ces empereurs vont conduire Rome à son apogée car ils protègent véritablement l'intérêt des citoyens.

79 à 81 après J.-C.

Titus : les « délices du genre humain »

Sous son règne eut lieu l'éruption du Vésuve qui détruisit Pompéi. Bon et généreux, il refusait la violence et les intrigues.

Honte à ces empereurs !

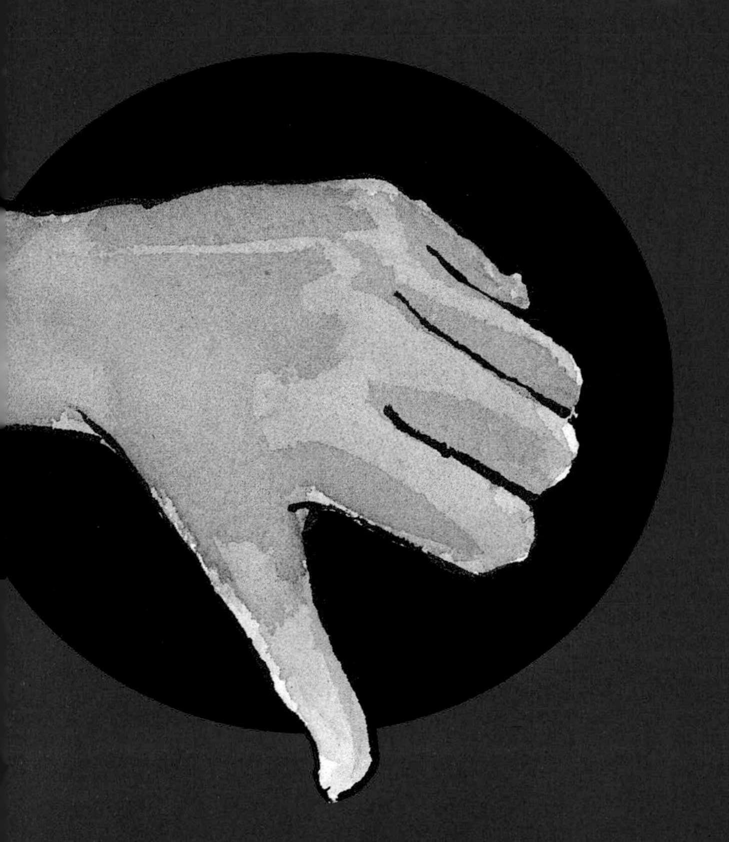

14 - 37 après J.-C.

Tibère : l'empereur « parano* » sème la terreur !

Il est le successeur d'Auguste. Il commence son règne par d'excellentes mesures.
Mais Tibère vit progressivement dans la peur de l'assassinat. À la fin de son règne, il accumule les cruautés. Il répétait toujours la même phrase : « Qu'ils me haïssent, pourvu qu'ils me craignent ».

*Etre paranoïaque, c'est se croire persécuté.

37 - 41 après J.-C.

Caligula : ce fou qui nomme consul son cheval !

Caligula sombre subitement dans la folie. Il fait diviniser sa sœur et amante, élève une écurie de marbre à son cheval et le nomme au consulat. En plein délire, il oblige les légions romaines à ramasser les coquillages des plages de la Manche. Son comportement tyrannique et cruel pousse la garde prétorienne (garde rapprochée de l'empereur) à l'assassiner.

41 - 54 après J.-C.

Claude : empoisonné par sa femme !

Il est l'époux de Messaline, puis de sa nièce Agrippine, mère de Néron. Érudit mais bègue, boiteux et dégénéré, il accède à l'empire grâce aux cadeaux distribués aux gardes prétoriens. Pour faire régner son fils, Agrippine le fait adopter par Claude, qu'elle fait ensuite empoisonner.

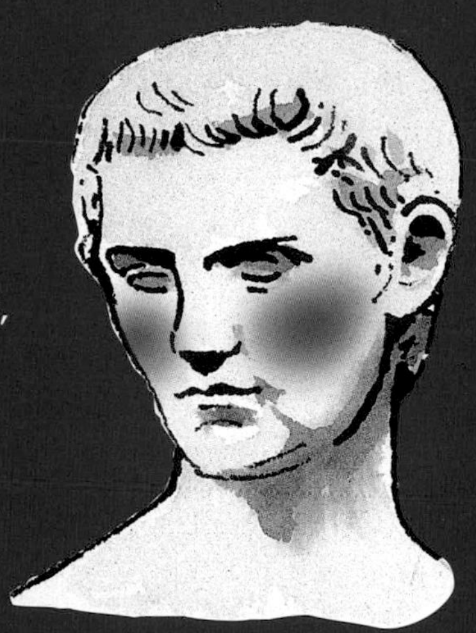

Fait marquant

L'empire résiste aux traitements de ces mauvais empereurs.

54 - 68 après J.-C.

Rome incendiée ! De graves soupçons pèsent sur Néron

Son père est une brute, et sa mère Agrippine une empoisonneuse débauchée.
Est-il un monstre ? Le début de son règne est heureux. Mais Néron sombre vite dans un délire de persécution.
Il se débarrasse alors de tous ses rivaux : il fait empoisonner son demi-frère Britannicus, fait égorger sa mère Agrippine, tue sa femme Octavie et ordonne à son maître Sénèque de se suicider. Soupçonné d'avoir incendié Rome, il reporte l'accusation sur les chrétiens. Chassé du pouvoir, il se fait volontairement égorger par son esclave. Cependant, c'est un prince cultivé, ennemi de la guerre.
Son règne est marqué par la paix. Passionné par les arts, Néron pense que la musique et la poésie transformeront le monde. C'est aussi un grand bâtisseur qui dépense sans compter pour édifier des monuments.
À sa mort, en 68, il est d'ailleurs très regretté par le peuple.

Des milliers de dieux venus d'ailleurs

Pourquoi les Romains, ces durs à cuire, attachent-ils autant d'importance aux poulets ? Lis ce qui suit.

De l'importance de savoir parler poulet

Le repas de ces petits animaux peut être très instructif. Si les poulets sacrés dévorent goulûment les graines, c'est bon signe ! Sinon, attention ! Un gag ? Non, un auspice, c'est-à-dire un signe qui apporte une réponse décisive concernant le futur. Ou bien un présage, un avertissement donné subitement. Encore faut-il savoir interpréter ces signes du destin. C'est tout le talent des augures, ceux qui prédisent l'avenir. À chaque problème, son dieu. Pas question de se tromper !

Sur les trente mille dieux romains, beaucoup n'ont même pas de nom !

À Rome, il est impensable de ne pas croire. Mais tu as le choix entre trente mille dieux. Difficile de s'y retrouver. Quant aux sacrifices et aux rites, il y en a une infinité. Chaque famille vénère les dieux de ses ancêtres, ce sont les dieux Manes et les dieux de la propriété, les dieux Lares.

Ton dieu n'est pas mal ! Je le prends, je l'adopte

Les Romains se sont largement inspirés des dieux grecs pour constituer leur panthéon, c'est-à-dire l'ensemble de leurs principaux dieux : Mars correspond à l'Arès grec, Jupiter à Zeus, Mercure à Hermès... Mais les dieux romains n'ont pas tout à fait les mêmes attributions que les dieux grecs. La religion romaine est donc très accueillante : on y rencontre la déesse égyptienne Isis, le dieu asiatique Mithra ou le dieu phénicien Baal.

Les chrétiens refusent de s'associer aux fêtes

L'année romaine est ponctuée par des rituels religieux consacrés à chacun des dieux. Tous les Romains sont obligés de respecter ces fêtes. Les chrétiens refusent d'y participer car ils ne reconnaissent pas les dieux païens.

Fait marquant

Les empereurs sont honorés comme des dieux.

IMPORTE

MARS
Origine Grèce

MINERVE
Origine Grèce

MITHRA
Origine Perse

PAN
Origine Grèce

JUPITER
Origine Grèce

VENUS
Origine Grèce

FAUNE
Origine Grèce

HERCULE
Origine Grèce

APOLLON
Origine Grèce

GERMANIE
BRETAGNE
Le mur d'Hadrien
La porte noire à Trêves
GAULE
Empire Romain
Le théâtre d'Orange
Le pont du Gard
L'aqueduc de Ségovie
Timgad
AFRIQUE DU NORD

Ier - IIe siècle après J.-C.

La pax romana
la paix romaine

Protégée par Rome, l'Europe n'a jamais connu une aussi longue période de paix !

Vous avez dit barbare ?

Des forêts rhénanes, sombres et profondes, aux déserts étouffants d'Arabie, Auguste règne sur un empire gigantesque de soixante-dix millions d'habitants. Rome représente alors la civilisation la plus organisée. Le reste n'est que pays barbares. Barbares ? Les Grecs et les Romains appelaient ainsi tous les peuples qui ne parlaient pas leurs langues. Le langage des barbares avaient des sons bizarres : « bar-bar-bar ». De là est né le mot « barbare ».

Deux siècles uniques de paix romaine vont garantir l'ordre et la stabilité

En Occident et en Orient, règne la *pax romana*, la paix romaine. À l'aide de quelques fonctionnaires et de troupes peu nombreuses, Rome règne sur des peuples dont la langue, la race, les coutumes sont totalement différentes. C'est d'abord la sécurité pour les différents peuples unis autour de Rome. C'est aussi l'opulence pour toutes les activités humaines à l'intérieur des frontières de l'empire. Grâce à la paix et à une bonne administration, l'empire connaît un véritable âge d'or.

La paix romaine réalise l'unification du monde méditerranéen

Cette paix permet au monde romain d'atteindre un haut degré de prospérité. Rome applique son organisation administrative et son système monétaire à des pays qui n'avaient jamais connu ni l'un ni l'autre.

Les impôts sont répartis et levés avec équité. Les empereurs n'hésitent pas à châtier les fonctionnaires malhonnêtes. Les délégués d'une province peuvent formuler des plaintes contre le gouvernement. L'empereur en tient souvent compte.

Mais l'élément le plus marquant de l'influence romaine est l'introduction de sa langue et surtout de ses lois. Le latin est obligatoire pour tout ce qui est administratif.

Fait marquant

En 212, l'édit de Caracalla déclare citoyens romains tous les habitants libres de l'empire. Aucune différence n'existe alors entre peuple vainqueur et peuples vaincus.

EGYPTE

Les villes romaines sont toutes pareilles

On les croirait sorties d'une photocopieuse ! Même plan, même architecture, même modèle de la Bretagne à l'Arabie : voici Rome !

Pourquoi tous les chemins mènent-ils à Rome ?

90 000 km de routes ont d'abord été construits, pour permettre aux armées romaines de parvenir le plus rapidement possible aux frontières. Elles vont rapidement devenir des voies commerciales majeures. Les routes sont larges. Elles mesurent entre 4,15 m et 6 m. Trois chars peuvent s'y croiser. Tous les milles (soit 1 481,50 m), une borne milliaire signale la distance qu'il reste à parcourir jusqu'à la ville la plus proche. Leur entretien est assuré régulièrement.

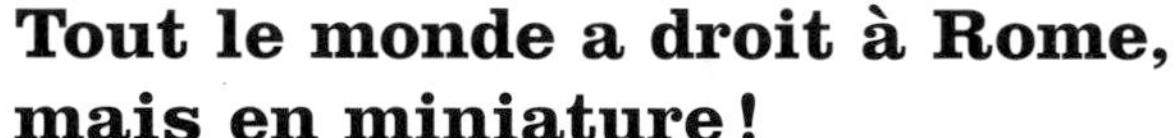

Tout le monde a droit à Rome, mais en miniature !

Deux axes principaux organisent l'urbanisme des villes romaines : le *cardo* (nord-sud) et le *decumanus* (est-ouest). Chaque rue est alors construite parallèlement à l'un de ces axes. Résultat : un quadrillage, un damier divisé en plusieurs quartiers. Au centre : le forum (lieu principal de rencontre) entouré par trois édifices : le capitole (centre religieux), la curie (résidence du Sénat municipal) et la basilique (tribunal et marché). Mais aussi des thermes, des arènes et des théâtres. En goûtant aux joies du cirque et au délassement des thermes, les peuples conquis en oublient leur propre culture et adoptent plus ou moins rapidement le nouveau mode de vie. C'est la romanisation.

Les conseils de *Felix Urus*, Bison Futé

N'oublie pas avant de partir :

- Qu'il faut cinq mois pour traverser l'empire de Londinium à Petra ;
- Que la vitesse maximale est de 30 km par jour ;
- Que la charge maximale autorisée pour les voitures de voyageurs est de 330 kg ;
- Que tu pourras être hébergé dans de charmantes hôtelleries ;
- Que les brigands (*latrones*) sévissent partout ;
- Que les croisières maritimes peuvent être plus rapides : moins de trois semaines de voyage d'Ostie à Alexandrie ;
- Que les routes sont fermées durant la mauvaise saison.

Rome

Une bande dessinée en sculpture

La colonne Trajane, haute de 30 m, faite de blocs cylindriques de marbre blanc. Elle est ornée de bas-reliefs où figurent les faits marquants de la campagne de Trajan contre les Daces (les anciens habitants de l'actuelle Roumanie).

Unique au monde

Les thermes de Caracalla peuvent accueillir mille cinq cents baigneurs.

Honneur au vainqueur

L'arc de triomphe de l'empereur Constantin : c'est le plus imposant.

Typique

De véritables gratte-ciel à Rome ! Des *insulae* de sept étages ! Leur composition sociale s'étage de haut en bas ; moins vous êtes riche, plus vous habitez haut. Les empereurs limitèrent les constructions à 20 m de hauteur. Les immeubles sont en bois, l'eau est rare : attention aux incendies !

Fait marquant

Dans la journée, le vacarme des habitants est tel que César interdit le déplacement des chariots après le lever du jour.

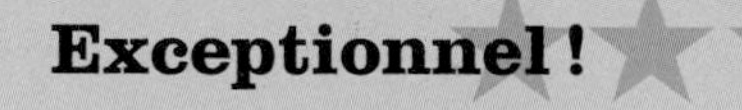

Exceptionnel !

Le cirque Maxime, 600 m de long et 200 m de large, sert aux courses de chevaux. Il peut contenir quatre cent mille spectateurs.

éternelle

Suivez le guide !

Aujourd'hui encore, la Rome des empereurs serait une grande ville. Imagine donc ce qu'elle représentait à l'époque ! Un million de personnes, des dizaines de langues différentes, quatorze aqueducs, quatre-cents cinquante mille désœuvrés à nourrir chaque jour…

Mérite le voyage

Le Colisée, 527 m de circonférence et près de 50 m de hauteur. Ici se déroulent tous les jeux du cirque.

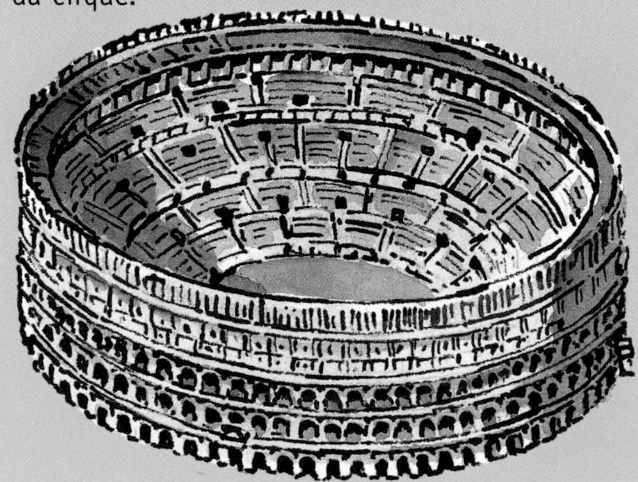

Le rendez-vous des dieux

Le Panthéon, dédié à tous les dieux, est construit en 27 av. J.-C. La coupole a été rajoutée par l'empereur Hadrien.

Mon premier bain par Lucius (dix ans)

Les thermes ne sont pas de simples piscines, ce sont des complexes thermaux, sportifs et culturels. Les Romains les fréquentent surtout l'après-midi : c'est l'occasion pour eux de se montrer et d'être vus. Le cadre idéal pour un rendez-vous d'affaires ou une rencontre mondaine. Chacun son style !
Écoutons le philosophe Sénèque (vers 63 après J.-C.) qui décrit les habitués : « Tout d'abord, il y a les costauds, qui font leurs exercices et manient les poids en grognant. Et puis les paresseux qui se font faire des massages, j'entends parfois le bruit des claques sur les épaules. Il y a aussi celui qui adore entendre le son de sa propre voix dans le bain. Et que dire de ceux qui plongent dans la piscine dans un énorme bruit d'éclaboussement ? ».

Si c'est la première fois que tu viens aux bains, voici la marche à suivre.

1 D'abord, un peu de sport dans la palestre, un gymnase très bien équipé. Chausse tes sandales et fais un petit jogging.

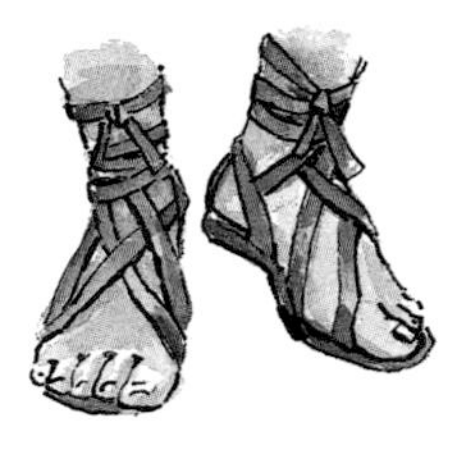

2 Une fois que tu as bien transpiré, déshabille-toi dans les vestiaires *(apodyterium)*.

3 Fais-toi ensuite masser et frictionner avec des huiles parfumées. L'huile d'olive s'utilise comme un savon.

4 Ensuite, une petite trempette dans le *caldarium*, une piscine d'eau chaude.

5 Enfin, pour te rafraîchir, entre avec précaution dans l'eau froide du *frigidarium*, histoire de raffermir la peau. C'est très vivifiant !

6 Change de salle, te voilà au *tepidarium*, un bain d'eau tiède.

Après le sport et les bains, la culture. Une petite séance de lecture dans la bibliothèque t'apaisera.

Une petite envie pressante : fais un tour dans les toilettes. Une éponge humide tenue par un bâton te servira de papier toilette !

À table !

La tête de perroquet est prête !

Menu à la romaine

Hors-d'œuvre

Oursins aux épices
Tétines de truies farcies
Huîtres et moules en sauce

Plats principaux

Pigeon cuit dans un ragoût de mouton
Sanglier rôti farci aux grives vivantes
Autruches bouillies avec sauce douce
Tête de perroquet parfumée au garum

Dessert

Fricassée de rose avec pâtisserie

En bon Romain, tu prends trois repas par jour

Au petit déjeuner, tu manges des fruits, du fromage et du pain. Pour le déjeuner, tu te contentes d'une légère collation (même chez les riches). Le principal repas de la journée est le souper *(cena)* servi dans la soirée avant la tombée de la nuit. Dès que les domestiques ont lavé les pieds du maître de maison et de ses invités, le repas commence et ne dure jamais moins de trois heures. Le vin est toujours coupé d'eau, les Romains raffolent de vin au miel refroidi dans de la glace. Les convives prennent place sur des lits à deux ou trois places et commencent à discuter tout en se rinçant les doigts après chaque service. Ils s'appuient sur le côté gauche, le bras enfoncé dans un coussin, la main tenant l'assiette.

La fourchette n'existant pas encore, ils doivent manger avec leurs doigts. Parfois, ces repas se prolongent tard dans la nuit. À table, il faut éviter les sottises et les vexations, être aimable et surtout ne pas parler de choses tristes.

Et la politesse ?

Il est poli de roter et d'émettre d'autres bruits gazeux. C'est même recommandé par les médecins de l'époque. Les détritus tombés sur le sol doivent y rester car ils sont destinés aux morts. Après le Ier siècle après J.-C., lors d'un banquet, le repas est souvent accompagné de musiciens, de danseuses, de comiques. Là, il n'est pas rare de voir des vomissures souiller les mosaïques du sol. C'est la seule façon d'aller jusqu'au bout de ces invraisemblables festins. Le repas se prolonge alors parfois jusqu'à l'aube...

Fais ton marché

Les Romains sont très friands de viande comme par exemple les tétine de truie, mais également de poissons, les fameux loups du Tibre pêchés à Rome près des égouts. Leur condiment préféré est le *garum*, à base d'entrailles de poisson mélangées avec du sel et des herbes. À l'époque, il n'y a pas de sucre ; on se sert alors de miel qui abonde dans les célèbres recettes d'Apicius (Ier siècle après J.-C.).

Entrez, entrez,

nos spectacles sont gratuits. À vous de choisir !

À Rome, tu peux assister gratuitement à d'incroyables spectacles.

Les loisirs dans l'empire sont gratuits

Ils sont organisés par des hommes politiques riches et ambitieux qui veulent plaire au peuple pendant les campagnes électorales, mais aussi par l'empereur à Rome. Un peuple qui s'ennuie est mûr pour la révolte. Et comme une année romaine compte près de deux cents jours de fêtes religieuses et impériales, les spectacles constituent le grand divertissement d'une plèbe de quatre cent cinquante mille personnes plus ou moins oisives.

Une lyre pour combattre des fauves affamés !

Vers midi, on exécute des prisonniers de guerre et des condamnés à mort. De pauvres types doivent repousser des fauves affamés... en jouant de la musique !

Des buffles contre des éléphants

Le spectacle commence dès le matin par des combats d'animaux et des chasses de bêtes sauvages dans un décor recréé. Par exemple, un paysage d'Afrique. On lâche des buffles contre des éléphants, des rhinocéros contre des tigres. Parfois, jusqu'à cinq mille animaux se font massacrer en une journée.

Plus populaires encore : les courses de chars

Les courses de chars ont encore plus de succès. Jusqu'à cent courses en une seule journée sous les Flaviens. Les auriges (cochers) vainqueurs sont les idoles de la foule. Un des plus célèbres, au IIe siècle après J.-C., est Dioclès. Avec plus de quatre mille victoires, il amasse une fortune extraordinaire de trente cinq millions de sesterces.

Les dieux du cirque : les gladiateurs

L'après-midi, place aux idoles du cirque, les nouvelles stars de Rome ! Défilent alors les gladiateurs, véritables héros populaires adorés des femmes. Ils sont classés d'après leur tenue. Il y a le mirmillon avec son épée recourbée et son casque orné d'un poisson. Le thrace, qui porte un poignard et un grand bouclier. Le samnite, équipé du glaive espagnol et du bouclier romain. Enfin, le rétiaire, tête nue, a pour seule arme un trident et un grand filet. Rares sont les vaincus à qui l'empereur accorde la vie sauve en levant son pouce vers le ciel. La foule veut du sang.

Les stars de l'Histoire

Hannibal

247-183 avant J.-C.

Général carthaginois, il mène une lutte acharnée contre Rome. Après avoir traversé l'Espagne et le sud de la Gaule, il franchit les Alpes avec ses éléphants et menace Rome. Battu à Zama par Scipion, puis exilé, il continue vainement le combat en Asie Mineure. Abandonné et isolé, il décide de s'empoisonner plutôt que d'être livré aux Romains.

Cicéron

106-43 avant J.-C.

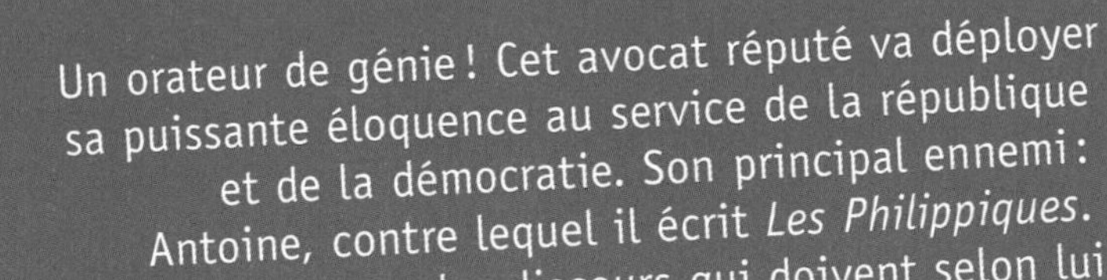

Un orateur de génie ! Cet avocat réputé va déployer sa puissante éloquence au service de la république et de la démocratie. Son principal ennemi : Antoine, contre lequel il écrit *Les Philippiques*. Ses armes : des discours qui doivent selon lui émouvoir, plaire et prouver.

83-30 avant J.-C.

Marc Antoine

À la mort de César, Antoine espère, tout comme Octave, se hisser au pouvoir. Après s'être unis pour assassiner les meurtriers de César, ces deux généraux se partagent le monde romain : Antoine reçoit l'Orient et Octave, l'Occident. Mais la discorde ne tarde pas à les diviser. Le mariage d'Antoine avec la reine Cléopâtre permet à Octave de dresser le peuple romain contre son rival. Les deux hommes s'affrontent à Actium. Antoine, vaincu, se suicide, laissant à Octave l'empire tout entier.

Virgile

70-19 avant J.-C.

Le poète romain par excellence ! Son inspiration, il la puise dans la campagne italienne (*Les Géorgiques*) et dans l'histoire légendaire des Romains (*L'Énéide*). Il entend ainsi ranimer l'orgueil et la fierté de son peuple. Il est aussitôt reconnu et protégé par l'empereur Auguste qui devient son mécène.

90-168 après J.-C.

Ptolémée

À la fois astronome, mathématicien et géographe, il propose un système astronomique dans lequel la Terre est située au centre de l'univers. Il faudra attendre la Renaissance pour que sa théorie soit remise en question. Mais ses découvertes touchent aussi les mathématiques et la géographie.

Tout commence mal pour les chrétiens...

On recherche un dangereux ennemi public

Son nom de code : « Christ ».

Son vrai nom : Jésus.

Signalement : grand, mince, cheveux et barbe châtain foncé.

Arme : aucune, mise à part sa foi irréductible.

Date de naissance : vers 6 avant l'ère chrétienne.

Lieu de naissance : Bethléem, en Judée.

Lieu de résidence : Nazareth, en Galilée.

Ses parents ? Joseph, charpentier de son état, et Marie.

Ses revendications : il n'appelle pas à se rebeller contre les Romains, mais à se préparer à l'arrivée du royaume de Dieu qui se fera au ciel et non sur la Terre.

Son mot d'ordre : « Aime ton prochain ».

Ses méthodes d'action : il parle aux plus pauvres, simplement, en leur racontant des histoires, des paraboles. Il promet la résurrection à ceux qui aiment leur prochain. Ses adeptes pensent qu'il fait des miracles (il aurait réussi à ressusciter un paralysé appelé Lazare).

Qui sont ses dieux ? Il n'en a qu'un seul, qu'il appelle « Dieu ».

A-t-il des disciples ? Oui, ils sont de plus en plus nombreux, en Palestine.

Son crime : lui et ses fidèles refusent de se soumettre au culte impérial.

Sa punition : la crucifixion.

Crucifié en 30 de l'ère chrétienne, Jésus est, selon les chrétiens, ressuscité. Les Évangiles, rédigés entre 70 et 95 après J.-C., proclament cette « bonne nouvelle ». Les disciples du Christ organisent progressivement une Église et diffusent la parole de Jésus dans toute la Méditerranée. L'empire romain réagit en faisant preuve d'une extrême brutalité.
La première persécution est due à Néron qui rend les chrétiens responsables de l'incendie de Rome en 64 après J.-C. Puis, c'est Domitien qui reprend les persécutions contre eux.
Les empereurs n'hésitent pas à les faire massacrer dans les arènes ou à les crucifier publiquement.

Mais, tout finit bien...

Rome devient... la capitale de la chrétienté !

Les chrétiens sont finalement acceptés dans l'empire, en 313, par Constantin (édit de Milan) qui se convertit même sur son lit de mort. En 392, le christianisme devient religion d'État sous Théodose. Les ennemis d'hier sont maintenant à la tête de l'empire.

Fait marquant

Constantinople, la nouvelle capitale impériale fondée par Constantin en 330, devient aussi la capitale du christianisme.

Trois solutions pour sauver l'empire

Au nord de l'empire, les Germains franchissent le Rhin en 234 après J.-C. Au sud, les Perses attaquent et pillent Antioche. Ils enlèvent l'empereur Valérien, l'emprisonnent avant de l'empaler au bout d'une pique. À l'est, Athènes est menacée par les Goths. Qui sera le sauveur ?

Un géant 1

235-238 après J.-C.

Première solution : prendre un barbare comme empereur

Prends un bon gros barbare bien méchant, né d'un père thrace et d'une mère d'origine alaine, imagine qu'il a une taille presque démesurée : 2,40 m. Ajoute-lui un penchant prononcé pour l'alcool et pour la bouffe, accorde-lui une force herculéenne. Ne lui laisse pas trop de culture ni d'intelligence, ça pourrait le desservir (il sait à peine le latin). Sa force et sa bravoure lui valent une grande popularité dans l'empire. Il est proclamé empereur par les soldats de Germanie. Tu obtiens alors Maximin, dit le Thrace, qui a régné de 235 à 238 après J.-C. Empereur-soldat, il combat victorieusement les Germains, les Sarmates et les Daces. Efficace. Mais cela ne va pas durer.

293-305 après J.-C.

Quatre empereurs

Deuxième solution : prendre quatre empereurs

En répartissant la défense de l'empire, Dioclétien, empereur depuis 285, pense avoir trouvé la bonne solution. Quatre empereurs se chargent des différentes parties du territoire romain. Maximien et Constance s'occupent de l'ouest, Dioclétien et Galère de l'est. Mais l'empire n'est pas pour autant partagé. C'est la tétrarchie : les quatre empereurs sont liés les uns aux autres par des serments de fidélité. Résultat : les barbares sont temporairement repoussés. Maximien rejette les Francs et les Burgondes de l'autre côté du Rhin. Constance bat les Alamans. En Orient, Dioclétien et Galère parviennent à vaincre Narsès, le roi des Perses. Pas mal comme organisation !

Diviser l'empire 3

395 après J.-C.

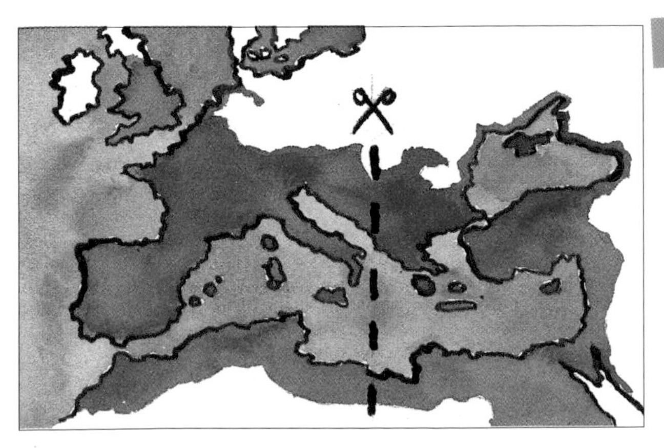

Troisième solution : diviser l'empire en deux

En 395, l'empereur Théodose décide de partager l'empire entre ses deux fils. Ces derniers pourront ainsi protéger les frontières plus facilement. Arcadius devient alors empereur d'Orient pendant qu'Honorius devient empereur d'Occident. C'est la fin de l'empire romain uni et centralisé.

Les barbares poussent

Les Huns poussent

Venus d'Asie centrale, ils font preuve d'une férocité qui dépasse l'imagination. Petits, trapus, habillés de peaux de rats et le visage couvert de cicatrices, ils mangent, boivent et dorment sur leur cheval. Leur chef Attila a soumis la plupart des barbares. Néanmoins, ils sont repoussés par les Romains en 451.

Les Goths poussent

Ils viennent de Scandinavie. Ils sont courageux et tenaces. Dans la grande famille des Goths, il y a les Ostrogoths (installés dans l'actuelle Ukraine) et les Wisigoths (campés sur les bords du Danube). Sous la conduite de leur chef Alaric, les Wisigoths ravagent à la fin du IVe siècle la Grèce, et tentent de pénétrer en Italie du Nord. Rome est menacée.

Rome disparaît

Tous poussent

Une véritable onde de choc selon saint Ambroise : « Les Huns se sont jetés sur les Alains, les Alains sur les Goths, les Goths ont été refoulés de leur patrie ». Ce jeu de dominos aboutit à Rome qui voit déferler sur plusieurs frontières des hordes de barbares se repoussant mutuellement. En 410, Rome est assiégée : « Elle est conquise, cette ville qui a conquis l'univers ». Rome disparaît.

Nous sommes tous des Romains

Nous sommes tous des Romains
bénéficiant d'un héritage éblouissant !

L'art et la littérature

À travers un mode d'éducation et de nombreuses œuvres littéraires immortelles, les Romains nous ont transmis leur langue, le latin, dont dérivent directement le français, l'italien, l'espagnol, le portugais, le roumain. Sans oublier les chiffres romains.

Le droit qui règle les rapports civils et sociaux

Il a inspiré notre droit actuel. Exemple : un code civil. Son influence continue aujourd'hui à s'exercer sur nos législations.

L'organisation politique

La carrière dans l'administration suit une progression qui rappelle le *cursus honorum*. Il y a aussi notre vocabulaire politique : République, Sénat, préfectures (divisions administratives du pays). L'idée même de carrière politique, la succession de magistratures de plus en plus hautes provient des Romains.

La notion d'État moderne centralisé et bien administré.

L'architecture

L'art de construire, que ce soit des monuments, des routes ou des villes entières.

Il n'y a qu'à regarder autour de nous pour constater l'influence des Romains : l'arc de triomphe de l'Étoile, la colonne Vendôme, l'arc de triomphe du Carrousel, l'église de la Madeleine...

Le théâtre d'Orange est l'un des rares théâtres pratiquement intacts avec son mur d'adossement contre lequel la scène s'appuyait. Il mesure 103 m de long et 37 m de haut et il est percé de trois grandes portes qui donnent accès aux acteurs. Ses gradins peuvent contenir dix mille spectateurs.

En outre, dans tout le bassin méditerranéen, il reste de nombreux vestiges : amphithéâtres (Nîmes, Arles), arcs de triomphe, aqueducs, thermes, ou basiliques.

Enfin l'armée romaine

Avec son organisation, sa stratégie, sa discipline, elle a influencé tous les grands capitaines de l'Histoire, à commencer par Napoléon (qui connaissait la *Guerre des Gaules* « par cœur »).

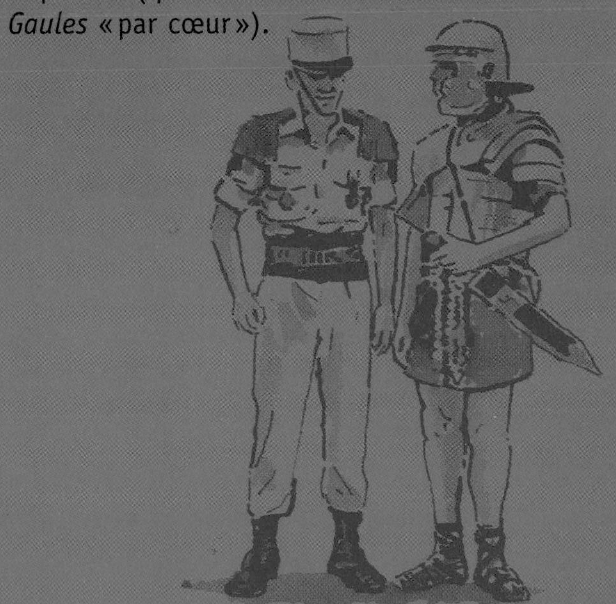